الحروف القمرية والحروف الشمسية
The Moon Letters & Sun Letters

أ ب ج ح خ ع غ

ف ق ك م ه و ي

ت ث د ذ ر ز س

ش ص ض ط ظ ل ن

1

الحروف القمرية
The Moon Letters

To say "the" in Arabic, the article "ال" (al) is added to a word.
If the word starts with a moon letter, say "ال" (al) then the word.

al.Ka.mar	Ka.mar	al
(the moon)	(moon)	(the)

2

a
أَ

الأَرْض
○ ○ ○ ▭
al.ar.D

ال + أَرْض = الأَرْض

الأَرْض
○ ○ ○ ▭
al.ar.D
(the earth)

أَرْض
○ ○ ○
ar.D
(earth)

ال
▭
al
(the)

3

البَحْر

al.baH.r

ب

b

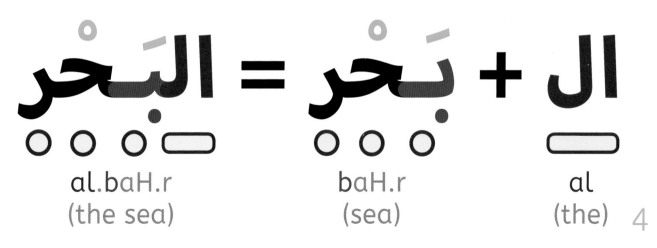

ال + بَحْر = البَحْر

al.baH.r
(the sea)

baH.r
(sea)

al
(the)

4

ج

j

الْجَيْب

○ ○ ○ ▭

al.jay.b

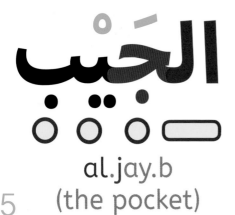 الْجَيْب =  جَيْب + ال

○ ○ ○ ▭

al.jay.b
(the pocket)

○ ○ ○

jay.b
(pocket)

▭

al
(the)

5

الحِساء

ح
H

al.Hi.saa'

ال + حِساء = الحِساء

al.Hi.saa'
(the soup)

Hi.saa'
(soup)

al
(the)

6

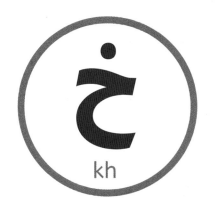

خ
kh

الْخَرَز

⭕ ⭕ ⭕ ▭

al.kha.raz

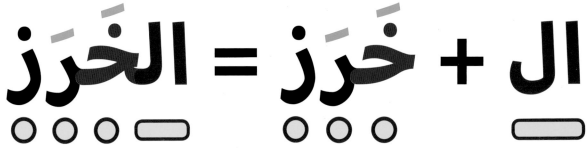

الْخَرَز = خَرَز + ال

الْخَرَز	خَرَز	ال
⭕⭕⭕▭	⭕⭕⭕	▭
al.kha.raz	kha.raz	al
(the beads)	(beads)	(the)

7

العَسَل

al.'a.sal

العَسَل = عَسَل + ال

al.'a.sal	'a.sal	al
(the honey)	(honey)	(the)

8

الغُراب

al.ghu.raab

غ
gh

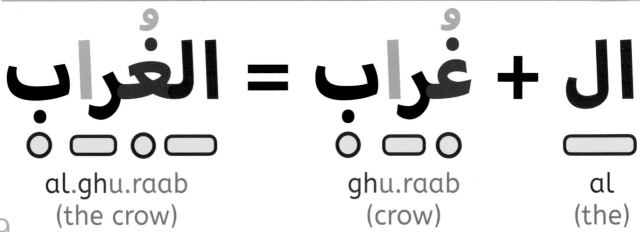

ال + غُراب = الغُراب

الغُراب	غُراب	ال
al.ghu.raab	ghu.raab	al
(the crow)	(crow)	(the)

9

الْفُرْن

○ ○ ○ ▭

al.fur.n

ف

f

الْفُرْن = فُرْن + ال

○ ○ ○ ▭   ○ ○ ○   ▭

al.fur.n   fur.n   al

(the oven)   (oven)   (the)   10

K

al.Ka.mar

ال + قَمَر = القَمَر

| al.Ka.mar | Ka.mar | al |
| (the moon) | (moon) | (the) |

ك

k

الكوب

al.koob

الكوب = كوب + ال

al.koob
(the cup)

koob
(cup)

al
(the)

12

m

المُرَبّى

al.mu.rab.baa

المُرَبّى = مُرَبّى + ال

al.mu.rab.baa
(the jam)

mu.rab.baa
(jam)

al
(the)

13

الهـر

al.hir

هـ
h

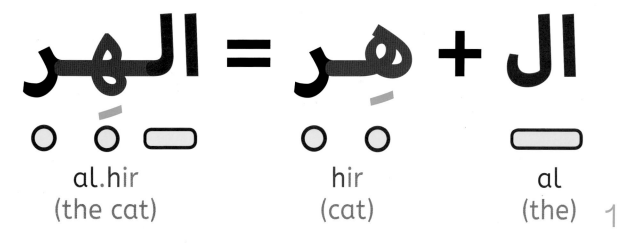

ال + هـر = الهـر

al.hir
(the cat)

hir
(cat)

al
(the)

14

الـوَرَق

○ ○ ○ ▭

al.wa.raK

و

w

ال + وَرَق = الـوَرَق

الـوَرَق	وَرَق	ال
○ ○ ○ ▭	○ ○ ○	▭
al.wa.raK	wa.raK	al
(the paper)	(paper)	(the)

15

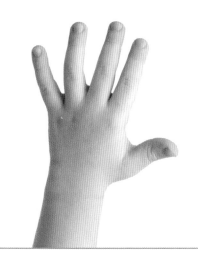

اليَد

○ ○ ▭

al.yad

ي
y

اليَد = يَد + ال

○ ○ ▭   ○ ○   ▭

al.yad   yad   al
(the hand)   (hand)   (the)

16

الحروف الشمسية
The Sun Letters

To say "the" in Arabic, the article "ال" (al) is added to a word. If the word starts with a sun letter, say "ا" (a) without saying "ل" (l), then pronounce the sun letter with an emphasis "ّ".

ال + شَمْسُ = الشَّمْسُ

ash.sham.s
(the sun)

sham.s
(sun)

al
(the)

17

t

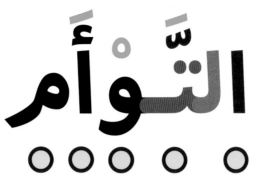

at.taw.am

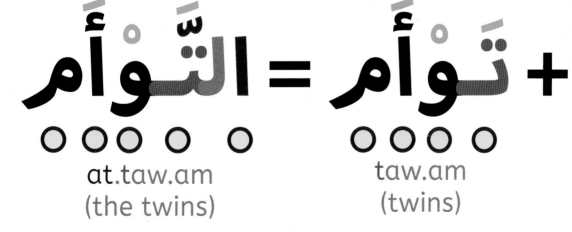

at.taw.am	taw.am	al
(the twins)	(twins)	(the)

ث

th

الثَّعْلَب

ath.tha'.lab

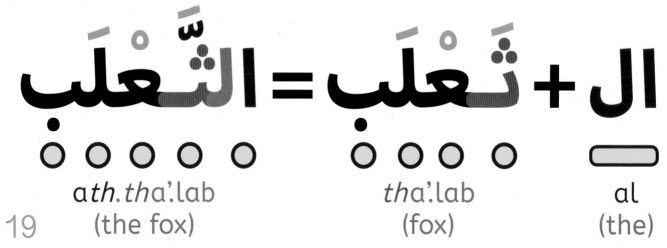

ال + ثَعْلَب = الثَّعْلَب

| ath.tha'.lab | tha'.lab | al |
| (the fox) | (fox) | (the) |

19

d

ad.da.raj

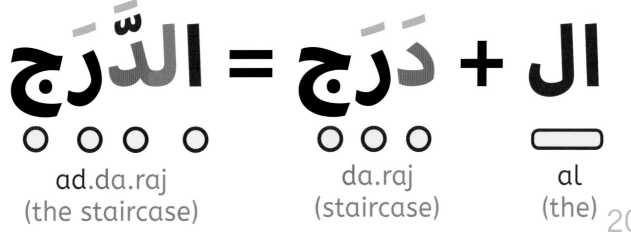

ال + دَرَج = الدَّرَج

الدَّرَج
ad.da.raj
(the staircase)

دَرَج
da.raj
(staircase)

ال
al
(the)

الذَّيْل

○ ○ ○ ○

ath.thay.l

ذ

th

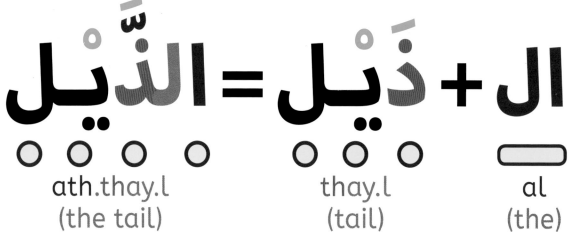

ال + ذَيْل = الذَّيْل

الذَّيْل

○ ○ ○ ○

ath.thay.l
(the tail)

○ ○ ○

thay.l
(tail)

ﹷ

al
(the)

21

ر
r

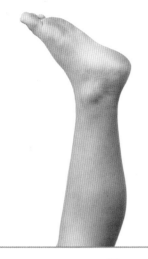

الرِّجْل

○ ○ ○ ○

ar.rij.l

الرِّجْل = الْ + رِجْل

○ ○ ○ ○   ○ ○ ○   ▭

ar.rij.l   rij.l   al

(the leg)   (leg)   (the) 22

ز

z

الزّبادي

az.za.baa.dee

ال + زَبادي = الزّبادي

الزّبادي	زَبادي	ال
az.za.baa.dee	za.baa.dee	al
(the yoghurt)	(yoghurt)	(the)

23

السَّرير

◯ ▭ ◯ ◯

as.sa.reer

س

s

السَّرير = سَرير + ال

◯ ▭ ◯ ◯ = ◯ ▭ ◯ + ▭

as.sa.reer   sa.reer   al
(the bed)   (bed)   (the)

24

الشَّمْس

ash.sham.s

ش
sh

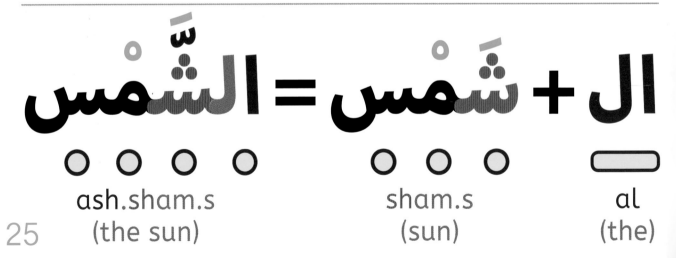

ال + شَمْس = الشَّمْس

| ash.sham.s
(the sun) | sham.s
(sun) | al
(the) |

25

الصُّنْدُوق

○ ▭ ○ ○ ○

aS.Sun.dooK

الصُّنْدُوق = صُنْدُوق + ال

○ ▭ ○ ○ ○ ○   ○ ▭ ○ ○   ▭

aS.Sun.dooK   Sun.dooK   al
(the box)   (box)   (the)

26

ض
D

الضُّفْدَع

○ ○ ○ ○ ○ ○

aD.Duf.da'

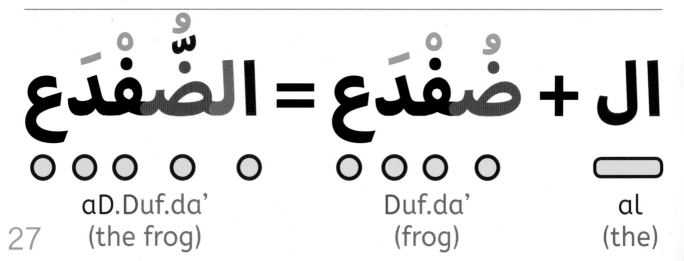

الضُّفْدَع = ضُفْدَع + ال

○ ○ ○ ○ ○ | ○ ○ ○ ○ | ▭

aD.Duf.da' | Duf.da' | al
(the frog) | (frog) | (the)

27

طَ

T

الطَّعام

○ ▭ ○ ○

aT.Ta.'aam

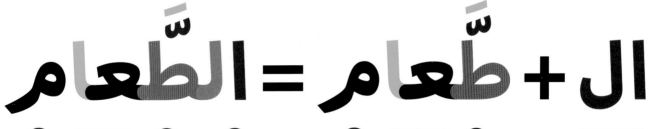

الطَّعام = طَعام + ال

aT.Ta.'aam
(the food)

Ta.'aam
(food)

al
(the)

28

الظَّبْي

aTH.THab.y

ظ

TH

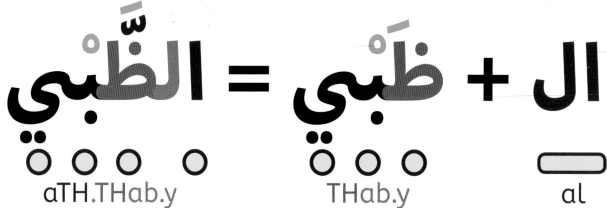

الظَّبْي = ظَبْي + ال

الظَّبْي

aTH.THab.y
(the antelope)

THab.y
(antelope)

al
(the)

29

اللَّوْحُ

○ ○ ○ ○

al.law.H

ل

l

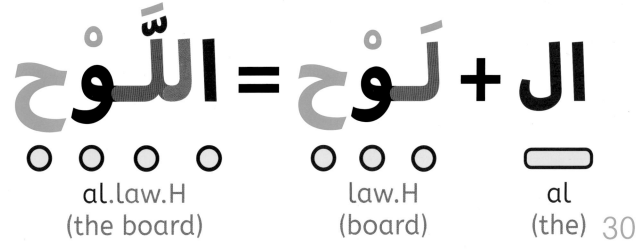

اللَّوْحُ = لَوْحُ + ال

○ ○ ○ ○   ○ ○ ○   ▭

al.law.H   law.H   al

(the board)   (board)   (the) 30

n

an.naar

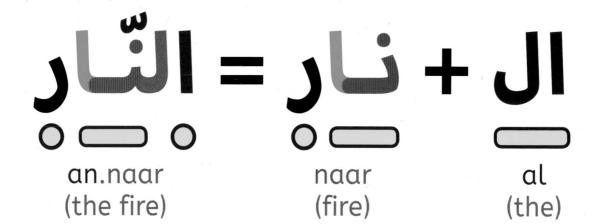

an.naar
(the fire)

naar
(fire)

al
(the)

31

CW00959613

طق هذه الكلمات مع "ال" التعريف؟

Can you pronounce these words w

moon   **ال + قَمَر = ؟**

sun   **ال + شَمْس = ؟**

earth   **ال + أَرْض = ؟**

sky   **ال + سَماء = ؟**

sea   **ال + بَحْر = ؟**

star   **ال + نَجْم = ؟**